**C'est moi
qui lis**

D1745430

# Famille Taupe-Tatin
## Vive les vacances!

Six souvenirs de vacances inoubliables
racontés par Burny Bos
illustrés par Hans de Beer
et traduits par Chantal Philippe

Éditions Nord-Sud

© 2003 Éditions Nord-Sud, pour l'édition en langue française
© 2003 Nord-Süd Verlag AG, Gossau Zurich, Suisse
Tous droits réservés. Imprimé en Italie
Loi n° 49-956 du 16 juillet 1949 sur les publications destinées à la jeunesse
Dépôt légal: 1er trimestre 2003
ISBN 3 314 21646 7

# Table des matières

## La famille Taupe-Tatin

Papa et maman Taupe-Tatin,
les jumeaux Bibou et Didou,
forment avec Mamie une famille
comme les autres, enfin... presque.
Ils habitent une petite maison
dans une grande ville, près de la mer.
Mamie, qui se déplace en fauteuil
roulant, les égaie de sa bonne humeur.
Chez eux, c'est Marguerite, la maman,
qui gagne l'argent de la famille,
pendant que Max, le papa, s'occupe
de la maison. Il est parfois
très fatigué... Heureusement,
les vacances approchent!

## Barbecue aux éclairs

«Dis, Papa, si on mangeait dehors?»
demande Bibou.
«Oh, oui! s'écrie Didou. Faisons
un barbecue, j'adore les brochettes!»
«Bon. Si chacun donne un coup
de main, d'accord pour les grillades,
dit Max. Mettez la table dehors.
Moi, je m'occupe de la cuisine.»
«Pourvu qu'il ne pleuve pas»,
dit Marguerite en regardant le ciel.

Max lève les yeux à son tour.
De plus en plus nombreux,
de gros nuages cachent déjà le soleil.
«Ne t'inquiète pas, chérie, dit-il.
Quand les Taupe-Tatin font
un barbecue, il ne pleut jamais.»
Tout en parlant, il allume
le charbon de bois et attise
le feu en agitant un journal.
Bibou et Didou l'observent
avec curiosité.
«Poussez-vous de là, dit Max,
affairé. Et surtout,
ne vous approchez pas
des flammes!»

«Oh, il pleut!» s'écrie soudain Bibou.
Une première goutte de pluie vient
en effet de s'écraser sur le nez
de Max.
«Je n'aime pas les brochettes à l'eau!»
ronchonne Didou en faisant la moue.
«Du calme, les enfants, dit Max.
Voyons, réfléchissons...»

Papa a une idée. Il va chercher
les gants de cuisine et transporte
le barbecue dans la cabane à outils.
«Prenez la table, vite!»
Pour une fois, Didou et Bibou
se dépêchent d'obéir,
et tout le monde prend place.
«On est encore mieux ici
qu'au jardin, pas vrai?» déclare
Papa, d'excellente humeur.
Mais bien vite, la fumée
le fait tousser.

11

«Dehors, c'est mieux...» risque Didou.
«J'ai froid!» gémit Bibou.
«Et moi, je n'y vois plus rien,
ajoute Maman en éclatant de rire.
Dis donc Max, ce sont
des brochettes grillées qu'on voulait
manger, pas des Taupe-Tatin fumés!»
«Bon, d'accord, dit Papa.
Mais pour le dessert, vous allez
vous régaler: il y aura des éclairs
pour tout le monde!»
Et tandis que le tonnerre gronde,
les Taupe-Tatin se régalent.

## Viva l'Italia!

La famille Taupe-Tatin passe
ses vacances au camping. En Italie!
Vers midi, Max sort de la tente.
«Et maintenant... *al ristorante!*»
dit-il, l'air important.
«Au restaurant? Vraiment?»
demande Marguerite.
«*Sì, sì, signora*», répond Max,
la tête haute, en roulant les r.
Je vous invite à un véritable
repas italien.»
Au restaurant, Max et Marguerite
étudient la carte.

De grosses rides plissent leur front,
car ils ne comprennent pas un mot
de ce qu'ils lisent. Mais Max
se frotte le menton: «Voyons,
voyons, dit-il en faisant celui
qui comprend tout. Que vais-je
prendre? J'hésite...»
«Moi, je prends une *insalata*, décide
Marguerite, au moins, je ne risque
pas d'avoir de mauvaise surprise.»
Le garçon hoche la tête:
«*Un'insalata!*»
«Moi, je voudrais des frites»,
dit Bibou.

«Oh oui! Moi aussi, des frites
bien croustillantes!» renchérit
Didou. Max cherche sur la carte.
«Ah... voilà, *Frittura*!» dit-il
avec un grand sourire. Il lève
deux doigts et annonce d'un air
expert: «*Due Frittura*.»
Puis il ajoute: «*Due* veut dire deux,
les enfants, retenez bien ça.»
Le garçon note la commande.
«Est-ce qu'on n'est pas bien,
en Italie?» dit Max, ravi.
Bientôt, le garçon revient et dépose
sur la table deux assiettes de petits
poissons frits.

«*Ecco le vostre fritture*», dit-il.
«Mais non! dit Max en secouant
la tête. *No, no.* J'ai demandé
de la *Frittura*, des frites,
pas du poisson frit.»
Mais le garçon montre les petits
poissons en répétant: «*Frittura, sì, sì!*»
«Non, des frites, bon sang!» crie
Max. Mais le garçon crie
encore plus fort.
«Peut-être que *Frittura* ne veut pas
dire frites en italien...» risque
Marguerite.

«Ah oui, c'est vrai, ça me revient! s'écrie alors Max. Pommes de terre, ça se dit *Patate*. C'est pourtant simple!» Et, se tournant vers le garçon, il dit: «*Due Patate!*»

Quelques instants plus tard, le garçon revient et pose deux assiettes devant Bibou et Didou. Dans chacune d'elle se trouvent deux pommes de terre... à l'eau!

«Oh, non!» s'exclame Marguerite en éclatant de rire. Les jumeaux, eux, ne rient pas. «Beurk, des pommes de terre en robe des champs!» grogne Bibou, horrifiée. «Prends-le avec humour! Nous sommes en vacances à la campagne!» lui dit Max pour la consoler. Mais les enfants fixent tristement leurs assiettes.

Pour les faire rire un peu, Max pose
son verre sur sa tête. Puis il grimpe
sur la table... et se met à danser
en chantant à tue-tête: «Viva l'Italia!
Vive les vacances!» Quand le cuisinier
surgit de la cuisine en menaçant Max
de sa grande cuiller en bois,
Bibou et Didou sont morts de rire.
«Tu as la frite, Papa, à ce qu'on dirait!»
glousse Didou.
«Et la pêche sera pour le dessert!»
ajoute Bibou, pliée en deux.
Les pêches frites à l'italienne,
ils s'en souviendront!

## Les extincteurs

Didou et Bibou ont passé
toute la journée dehors.
Maintenant, ils jouent
aux extincteurs en prenant
leur bain. Pour commencer,
Didou emplit sa bouche d'eau
qu'il projette sur Bibou.
Ensuite, c'est le tour de Bibou.

Pendant ce temps, Max prépare
le dîner. «Hmmm! fait-il
en soulevant le couvercle
de la casserole. Ça sent drôlement
bon!» Mais voilà qu'il entend
de grands éclats de rire à l'étage.
Allons voir ce que font les enfants,
pense-t-il en montant.
Les jumeaux s'amusent tant
qu'ils font plaisir à voir.
Pendant un bon moment, Max
les regarde et rit avec eux.

Soudain, il sent une odeur de brûlé
et quitte la salle de bains en courant.
De gros nuages de fumée
s'échappent de la cuisine.
«Oh, malheur!» gémit Max
en fermant vite le gaz.
Puis il remonte voir les enfants.
«Ouf! dit-il en s'allumant
un bon petit cigare.
Ça n'a pas brûlé pour de bon!»
Et d'un petit air moqueur,
il ajoute:

«Une chance! Car vos extincteurs
ont beau être excellents,
vous ne pourriez pas éteindre
un véritable incendie.»
Sur ce, il se remplit la bouche
d'eau froide... et Bibou reçoit
un gros jet en pleine figure.
«Vengeance!» jubile Didou.
Bibou vise aussitôt le cigare
et envoie un bon jet
dans sa direction. Gzzz...
Le cigare grésille et s'éteint.

«Tu vois, Papa, on a quand même
réussi à éteindre un vrai feu!»
s'exclame Bibou.
Et comme Max fait une drôle
de tête, Didou reprend:
«C'est l'une des nouvelles mesures
anti-tabac. Tu ne la connaissais pas,
Papa? Il est strictement interdit
de fumer dans les salles de bains.»

Puis tous deux disparaissent
comme des sous-marins.

## Balade en barque

Par une belle journée ensoleillée,
toute la famille Taupe-Tatin décide
d'aller faire une promenade
sur le lac.
«Si on louait une barque? propose
Max. Qu'en dites-vous, les enfants?»
Bibou et Didou sont ravis.
Marguerite aussi.
Sitôt dit, sitôt fait. Peu après,
les voilà qui rament vers le large.

Les jumeaux
prennent
les rames,
tandis que
Max leur donne
des instructions:
«À tribord!
Cela veut dire
à droite.
À bâbord,
c'est à gauche.»
Mais on dirait
qu'ils font
du surplace.
«Laissez-moi
faire», dit
alors Max.
Cette fois,
la barque
s'éloigne
de la côte.

«Quel calme, c'est formidable!»
soupire Marguerite.
«Oui, rien de tel que le canotage!»
dit Max. Et il se met à chanter:
«Maman, les p'tits bateaux
qui vont sur l'eau, ont-ils
des jambes...»
«Dis, tu as vu tous ces gros nuages?
l'interrompt Marguerite.
Il vaudrait peut-être mieux rentrer?»
«Pas de panique, ils vont passer»,
dit Max.
Mais les nuages ne passent pas.

Ils s'amoncellent au-dessus
de leurs têtes et soudain, le vent
se lève. Marguerite, à présent,
ne trouve plus ça formidable du tout.
«Fais demi-tour, Max, vite!»
«Je fais ce que je peux», répond Papa
en ramant de toutes ses forces.
«À bâbord, Papa!» crie Bibou.
«À tribord!» hurle Didou.
«Viens m'aider», finit par dire Papa.
Marguerite prend place près de lui,
et tous deux rament aussi fort
qu'ils peuvent. Mais le vent
est si violent qu'ils n'avancent pas
pour autant.

Didou et Bibou, eux, trouvent
cela passionnant.
«C'est comme sur le Titanic!»
s'extasie Bibou.
«Terre en vue!» clame enfin Didou.
Mais ce ne sont que des roseaux,
la terre ferme est encore loin.
«Mince alors, nous voilà coincés,
soupire Papa. Plus moyen d'avancer.»
Papa et Maman n'ont pas le choix:
ils descendent de la barque.

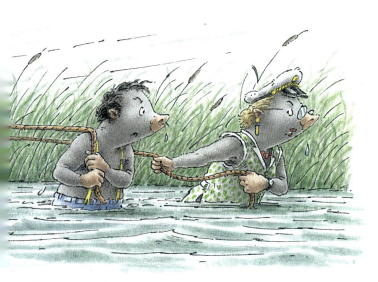

Les voilà qui s'enfoncent
dans la vase. «Ah, c'est dégoûtant!»
couine Marguerite en frissonnant.
Tout essoufflé, Max patauge
en l'aidant à tirer la barque,
tandis qu'à bord, Bibou et Didou
reprennent en chœur:
«Maman les p'tits bateaux qui vont
sur l'eau, ont-ils des jambes...
C'est quoi la suite déjà, Papa?»
Mais Papa ne répond pas.
Allez savoir pourquoi...

## C'est bête, de fumer!

Max est très fort. Il a arrêté
de fumer, et pour de bon!
«Fumer, c'est mauvais pour la santé,
dit-il d'un air savant. Ça détraque
le cœur et les poumons.»
Les jumeaux hochent la tête.
«En plus, ça sent mauvais»,
ajoute Didou.
«Exactement, dit Max.

Voilà pourquoi j'ai posé cette plaque
sur la porte d'entrée.» Il montre
un écriteau sur lequel on peut lire
NO SMOKING. «Cela veut dire:
Défense de fumer, explique Max.
Tous ceux qui viendront nous voir
sauront qu'on ne fume pas
dans cette maison.»
Mamie arrive au même instant.
«Quoi? Tu as arrêté de fumer, Max?»
Elle a l'air très étonné.
«Bien sûr, dit Papa. Fumer
est ce qu'il y a de plus stupide
au monde.»

«Oui. C'est bête, de fumer!»
Didou et Bibou sont bien d'accord.
«Tout à fait, lance à son tour
Marguerite depuis la maison.
D'ailleurs ce n'est pas bon non plus
pour ta santé, Mamie!»
«Et on ne fume plus dans la maison!»
reprend Max d'un ton sévère.
«Hum», fait Mamie. En haussant
les épaules, elle jette son cigarillo.
«Comme vous voudrez, dit-elle.
Je peux m'en passer. Venez
les enfants, allons nous promener.»

Le soir, les jumeaux vont se coucher,
Mamie et Marguerite bavardent,
tandis que Max fait nerveusement
les cent pas dans la pièce.
«Assieds-toi donc, mon chéri,
dit Marguerite. Tu sembles bien
nerveux. Est-ce parce que tu as
arrêté de fumer?»
Max prend un air offusqué:
«Quelle idée, cela n'a rien à voir!»
Puis il sort de la pièce en courant.
«J'ai seulement quelque chose
d'urgent à faire.»

Arrivé au fond du jardin, Max
allume une cigarette en cachette.
Mais de la fenêtre, Didou voit
tout ce que fait son père.
«Oh! Un joli ver luisant! s'écrie-t-il
en riant. Regarde, Bibou!»
Surpris, Max manque de s'étrangler.
Puis il jette vite sa cigarette
et l'écrase avant de disparaître
dans la maison.
Une semaine plus tard, Max dévisse
la plaque de la porte.

«Tu recommences à fumer?»
lui demande Bibou.
«Non, non, dit Papa. Bien sûr
que non. Mais c'est bête, finalement,
cette pancarte... Pour les visiteurs,
je veux dire... Ce n'est pas
très accueillant.»
«C'est vrai, dit Bibou.
Et puis les vers luisants du jardin
ne parlent pas anglais. Ils pourraient
croire qu'il est interdit de rentrer
chez nous en smoking, hein Papa?»
Et elle donne une grande bourrade
à son père qui rougit
jusqu'aux oreilles.

## Vite, à la plage!

Cette année, la famille Taupe-Tatin
est en vacances au bord de la mer.
Ils viennent de s'installer
dans un grand hôtel.
Didou et Bibou trouvent cela
formidable. Ils sont déjà montés
et descendus une bonne dizaine
de fois en ascenseur.
«Venez, les enfants. Vite, à la plage!»
les appelle Papa. Il est chargé
comme un baudet.

Entre les sacs et les bouées,
tous les quatre s'entassent
dans l'ascenseur qui descend
en ronronnant. Au rez-de-chaussée
de l'hôtel, il y a un tourniquet.
Didou et Bibou s'y précipitent
et poussent d'un grand coup
la porte à tambour. Aussitôt,
elle se met à tourner et les entraîne,
comme un manège.

«Arrêtez, les enfants!» crie Max.
Il est déjà en nage
sous son chargement. Petit à petit,
la porte ralentit. Max s'y glisse
tant bien que mal avec les affaires
de plage. Mais voilà qu'il lâche
le matelas gonflable. Et le matelas
reste coincé. La porte ne bouge plus,
ni dans un sens, ni dans l'autre.
Max a beau pousser
de toutes ses forces,
rien n'y fait, il est prisonnier.
«Attends, je vais essayer»,
dit Marguerite en s'arc-boutant
à son tour contre la porte.
Didou et Bibou viennent
à la rescousse. Mais la porte
ne bouge toujours pas.
Le portier accourt avec un tournevis.
Sans résultat: la porte
est bel et bien bloquée.

Dans sa prison de verre, Max
s'énerve. Il proteste et gesticule.
Les vitres se couvrent de buée.
«Dépêchons-nous, dit Marguerite
avec inquiétude. Il doit avoir
bien trop chaud là-dedans!»
Tout l'hôtel est sur le pied de guerre.
Mais personne ne parvient à faire
tourner la porte ni à délivrer Max.

Appelés en urgence, les pompiers
utilisent les grands moyens:
d'un coup de hache, ils brisent
la vitre et parviennent enfin
à libérer Max.
Le pauvre pousse un gros soupir
de soulagement:
«Merci, merci beaucoup!
Eh bien, quelle aventure...
Et maintenant, vite à la plage!»

Mais lorsqu'ils arrivent à la mer,
le soleil est déjà en train
de se coucher: Papa est resté
si longtemps bloqué
dans la porte à tambour!
«Ce n'est pas grave, dit-il gaiement.
J'ai assez transpiré
pour aujourd'hui!»
Puis sans tambour ni trompette,
il se jette à l'eau. Et tant pis
s'il reste coincé, la tête dans le sable!

# Une famille comme les autres

Voilà donc quelques souvenirs
de vacances de la famille
Taupe-Tatin. Comme vous avez pu
le constater, qu'ils restent chez eux
ou qu'ils partent loin de là, l'été
est toujours plein de surprises
chez Bibou et Didou...
comme dans toute famille normale,
ou presque...

## À propos de l'auteur

**Burny Bos** est né en 1944 à Haarlem,
aux Pays-Bas. D'abord enseignant,
il réalise à partir de 1973
des programmes pour enfants
à la radio. Depuis 1976 il travaille
également pour la télévision,
et a obtenu plusieurs prix
pour ses réalisations. Il produit
aussi des disques et des cassettes
pour les enfants. Son premier album,
paru en 1975, a été suivi
d'une trentaine d'autres, dont certains
ont été enregistrés. Burny Bos
y raconte des histoires de taupes,
de grenouilles ou d'éléphants,
et réalise en parallèle des films
et des séries télévisées. Il a lui-même
quatre enfants, deux filles et deux
garçons, et vit avec sa famille
à Kortenhoef, près d'Amsterdam.

## À propos de l'illustrateur

**Hans de Beer**
est né en 1957
aux Pays-Bas,
à Muiden, un petit village proche
d'Amsterdam. C'est à l'école
qu'il s'est mis à dessiner
quand il s'ennuyait en classe...
Après des études d'histoire,
il commence une formation
d'illustrateur à l'Académie
des beaux-arts d'Amsterdam.
Depuis, il a réalisé plusieurs séries
dans des magazines pour enfants
et surtout des albums.
L'un de ses héros, Plume,
le petit ours polaire, est aujourd'hui
connu dans le monde entier,
même à l'écran.
Hans de Beer vit à Amsterdam
avec sa femme.

# C'est moi qui lis